哇哦！中国古代科技了不起

数学与测量

2

白 欣　主编
郭园园　　著
牛猫小分队　绘

大连理工大学出版社

主编简介：白欣

白欣，首都师范大学初等教育学院教授，博士生导师，主要从事科技史与科学教育、博物馆教育与综合实践活动研究。入选青年燕京学者。主持国家自然科学基金三项，发表学术论文和科普文章 200 多篇。主编或出版科普图书 40 多本。

作者简介：郭园园

郭园园，中国科学院自然科学史研究所副研究员；上海交通大学科学技术史专业理学博士学位；中国科学院公开课主讲人，《格致论道》演讲嘉宾。近年来出版的著作有《代数溯源——花拉子密＜代数学＞研究》《几何原本（少儿彩绘版）》《西去东来——沿丝绸之路数学知识的传播与交流》《阿尔·卡西代数学研究》《东方数学选粹——埃及、美索不达米亚、中国、印度与伊斯兰》等。主要从事数学史研究、数学教育和数学科普工作，活跃于科普领域。

绘者简介：牛猫小分队

牛猫，本名苏岚岚，本科毕业于中国美术学院，硕士毕业于法国比利牛斯高等艺术学院。"谢耳朵漫画"联合创始人，是童书作者也是绘者。擅长设计，喜欢画画，喜欢编段子，喜欢不断突破自己去创新。开创了用四格漫画组成"小剧场"来传播科学知识的形式，代表作品有《有本事来吃我呀》和《动物大爆炸》等。

牛猫小分队的另一位核心成员叫赏鉴，是本书的漫画主笔，他画的漫画在全网有 5 000 万以上的阅读量。

写在前面的话

亲爱的小读者们，

当你们翻开这套"哇哦！中国古代科技了不起"的那一刻，就像推开了一扇通往古老智慧宝库的大门。在这里，我们将一同踏上一段奇妙旅程，穿越时空隧道，探寻那些曾经照亮人类文明进程的科技之光。

在历史的长河中，中国古代科学技术以其独特的魅力和深远的影响，成为人类文明的重要组成部分。造纸术、印刷术、火药、指南针，这些耳熟能详的伟大发明不仅推动了中国科技的发展，也对世界文明产生了不可估量的影响。

我们精心挑选了五大领域的经典科技成就，通过科学漫画的形式，将复杂深奥的科学原理转化为生动有趣的故事情节，让你们能轻松愉快地走进古代科技的世界。从圭表测量日影的精准，到漏刻计时的巧妙；从被中香炉的神奇，到纺织工具的精妙；从都江堰的壮丽，到弓形拱桥的跨越；从倒灌壶的奇妙，到印刷术的革新……每一个章节都充满了惊喜和发现，等待着你们去探索和体验。

写在前面的话

　　中国古代科学技术的许多成果，如农业技术、水利工程等，都是通过实践得出的。书中特别设计了动手实验环节，配置了丰富的材料包，大家通过亲自动手操作，不仅可以再现伟大的发明，还能培养动手能力，提升解决实际问题的能力。中国古代科学技术往往涉及多个学科，如数学、物理、化学等，这种跨学科的特点也为大家提供了一个综合性的学习平台，可以培养综合思维能力。中国古代科学技术的发展过程，体现了严谨的科学态度和科学方法。阅读书中的内容，可以树立正确的科学观，潜移默化地培养批判性思维和逻辑推理能力。

　　我们希望通过这套书，激发你对科学的兴趣，培养你们的科学思维，让你们在享受阅读乐趣的同时，感受到中国古代科技的独特魅力和深远影响。

　　同时，我们也希望这套书能够成为你们了解祖国悠久历史和灿烂文化的窗口，更加深刻地感受到中华民族的伟大。我们相信，在未来的日子里，你们一定会成为能够担当起民族复兴重任的时代新人，以智慧为舵，勇气为帆，乘风破浪，开创更加美好的未来。

　　让我们携手共进，一起探索中国古代科技的奥秘吧！愿你们在未来的道路上，不断前行、不断超越，成为那个最了不起的自己！

　　祝愿你们阅读愉快！

白 欣

2024 年 9 月 30 日

扫码观看
时光通识课

欢迎小朋友和我一起阅读呀！

小朋友们，跟我一起来学数学呀！

目 录

传说，上古神兽白泽，通晓世间万物，所到之处，所言之事，都能引起惊叹，孩童们不约而同地喊出"哇哦"。

"哇哦"之音逐渐在白泽身边凝集，幻化成一只灵动可爱的小神兽，唤作"哇哦"！

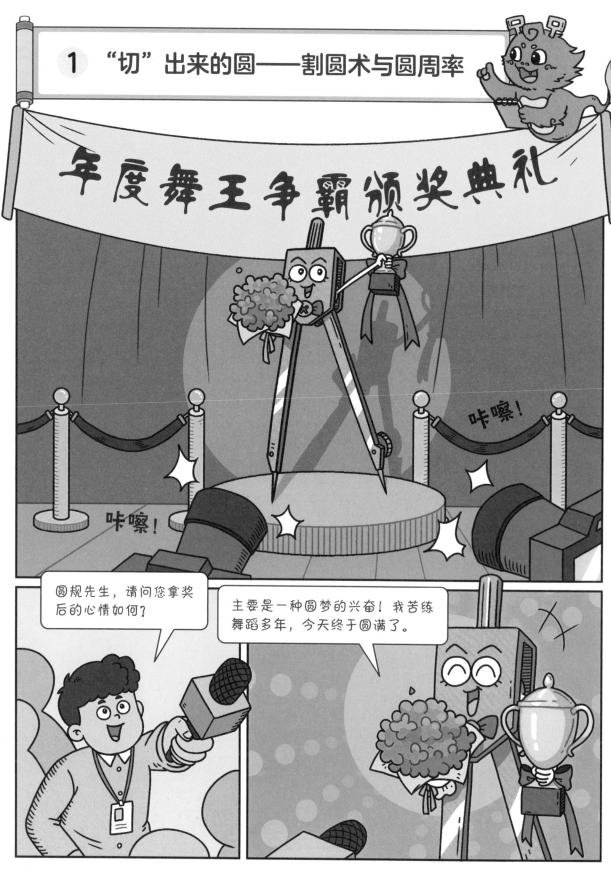

割圆术是怎么割的呢？

嘻嘻，在这儿我要给你留个悬念，待会儿你可以当面和刘徽讨论一下。

哇哦，我已经迫不及待想要和刘徽见面了，我们加速前进！

不过我可以先告诉你，祖冲之在计算圆周率时就借鉴了割圆术，这可领先世界约千年呢。

祖冲之

割圆术

魏晋

咻

您好！您是伟大的数学家刘徽吧？

哈哈，伟大的数学家？过奖了过奖了。你好！我是刘徽。

刘徽

看到圆规先生跳出的精妙舞步，我特别羡慕，想和他讨教一下，他就带我来拜访您了。

嗯？您桌上的书是《九章算术》吗？

对呀，我正在为东汉时期成书的数学经典《九章算术》作注。这本书为中国古代数学搭建了基本框架，但是有很多内容没有详细说明，所以我要作出注释，便于后人学习。

刘徽

公元1世纪左右成书的《九章算术》构筑了中国古代数学的基本框架。这个框架以"九数"为主体，影响了此后两千年间的中国乃至东方的数学。该书共有九十条公式和算法，二百四十六个应用问题，按照问题类型分为九卷：卷一《方田》、卷二《粟米》、卷三《衰（cuī）分》、卷四《少广》、卷五《商功》、卷六《均输》、卷七《盈不足》、卷八《方程》和卷九《勾股》。

少广　商功　均输　盈不足　衰分　方程　粟米　方田　勾股　九章算术

哇哦！为《九章算术》作注，这项工作太伟大了，不过工作量可不小，您现在写到哪儿了？

你们的时机选得真好，我刚好在为卷一《方田》作注。

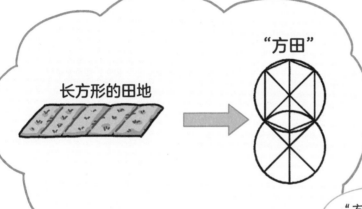

长方形的田地

"方田"

哦？"方田"是什么意思呀？

"方田"的本义是长方形的田地。这一卷主要讲的是各种平面图形的面积计算公式和分数四则运算法则。

方法一：半周半径相乘得积步

相当于 $S_{圆} = \dfrac{L}{2} \times \dfrac{d}{2} = \dfrac{L}{2} \times r$，式中：$S_{圆}$ 为圆面积；L 为圆周长；d 为圆直径；r 为圆半径。

方法二：周径相乘四而一

相当于 $S_{圆} = \dfrac{1}{4} Ld$，这是方法一中公式的变形。

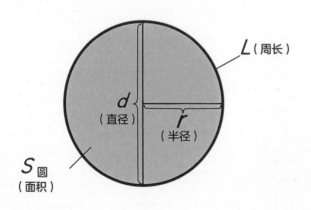

方法三：径自相乘三之四而一

相当于 $S_圆 = \dfrac{3}{4}d^2$，若通过 $\dfrac{3}{4}d^2 = \pi r^2$，可以计算出 $\pi = 3$。

方法四：周自相乘十二而一

相当于 $S_圆 = \dfrac{1}{12}L^2$，若通过 $\dfrac{1}{12}L^2 = \pi r^2$，可以计算出 $\pi = 3$。

《九章算术》中圆面积公式实际上就是认为圆的周长与圆内接正六边形周长相等，即仍采用"周三径一"，相当于圆周率取值为3。

原书中给出了圆面积的四种求法，方法一是"半周半径相乘得积步"，这种方法是正确的，可惜书中没有给出这样计算的理由，所以需要解释一下，大家就可以轻松理解了！

半周半径相乘得积步

刘徽

哇哦！竟然有四种计算方法，真的好厉害！可是我刚才看您眉头紧锁，是遇到什么难题了吗？

长方形、三角形的面积求法好理解，但圆面积求法的理解有点难，您准备怎么办呀？

我发明了一种"割圆术"来证明上面圆面积计算公式的正确性。

传说中的"割圆术"！

惊！

好呀好呀！

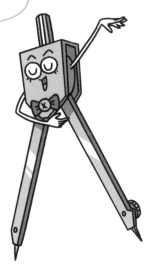

哇哦！"割圆术"分三步，我带你去看一下！

割圆术分三步：

简单地说，就是从圆内接正6边形开始，在这个基础上作出圆内接正12、24、48、96……边形。

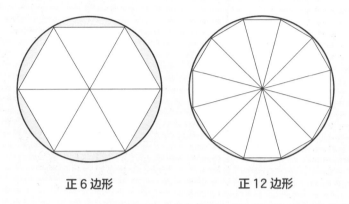

正6边形　　　　　　　　正12边形

随着它们的边数加倍，正多边形的面积越来越接近于圆面积。

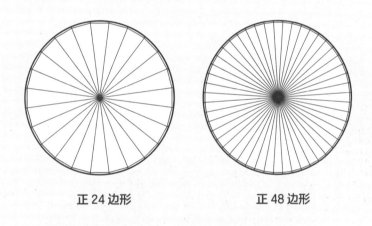

正24边形　　　　　　　　正48边形

如果边数趋于无穷，那么这个多边形的面积就等于圆的面积。

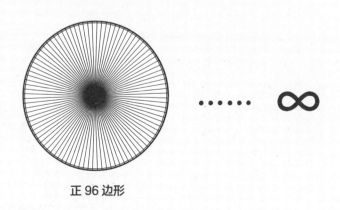

正96边形

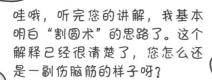
哇哦，听完您的讲解，我基本明白"割圆术"的思路了。这个解释已经很清楚了，您怎么还是一副伤脑筋的样子呀？

《九章算术》给出的求圆面积的方法三和方法四中，使用的圆周率等于3，这是一个明显错误的结果。

刘徽

我们要尊重经典，但不应该盲目迷信权威。书中正确的地方，我们要好好理解和传承；错误的地方，我们要把它改过来，这才是理智对待经典的态度。

《九章算术》是古代数学经典，里面的内容怎么会出现问题呢？

我明白了，那您要怎么求解圆周率呢？

从半径为1的单位圆入手，逐步计算出圆内接正96边形和正192边形的相关数据，这样就可以计算出圆周率的近似值为157/50，也就是3.14。对于日常计算，这个值已经足够精确了。

正96边形

1

动手实验 纸上魔术师

割圆术真是太厉害了，能求出圆的面积，这真的是一件具有划时代意义的事儿！

当然了，割圆术主要体现的是无限趋近想法，其实，平面图形求面积还有一个神奇的想法，叫平面割补想法，我带你试试。

实验材料 ｜ 铅笔、格尺、橡皮、剪刀、纸。

第1步 | 绘制一张 8×8 的方格纸，共有 64 个小正方形。

第2步 | 将图形按照边框和粗线条剪开，得到 A、B、C、D 四部分。

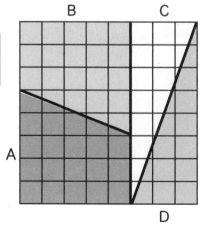

第3步

按照图示拼接，会得到由 5×13=65 个方格组成的长方形。多出来的 1 个小正方形是从哪里来的呢？

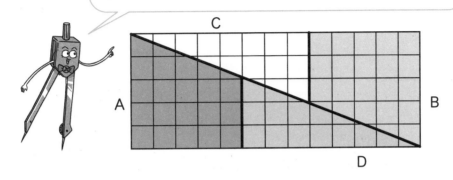

原理揭秘

　　将原来由 64 个方格组成的正方形重新裁剪拼合成由 65 个方格组成的长方形这件事是不可能实现的。

　　仔细观察，重新拼合的长方形中间出现了空隙，这就是多出来的"1 个方格"。下面示意图中红色直角三角形的两条直角边比为 2：5，绿色直角三角形的两条直角边比为 3：8，说明两个直角三角形不相似，即形状不同，所以斜边的斜率（倾斜程度）不同，说明对角线的红色线段与绿色线段不在同一条直线上，而是组成一条折线。重新拼合成的 65 个方格组成的长方形中间存在空隙，这正是多出来的那个正方形。

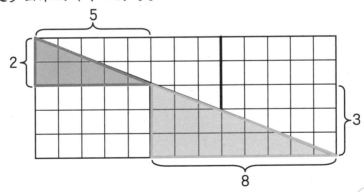

2 秦朝时的乘法口诀——九九表的奥秘

2002年，我国考古学家在湖南省里耶镇里耶古城1号井发现了37 000多枚中国秦代的简牍。

哇哦！以往我们对秦史了解很少，这次的秦简真是让我们大开眼界。它们全景式地描绘了秦朝社会生活图景。

哇哦！上面的内容太丰富了，看起来像是档案，包括祠先农简、地名里程简、户籍简等，大概得有 20 多万字了！

哇哦！这应该是继秦始皇兵马俑之后秦代考古的又一重大发现，这将大大填补史料的缺失。

哇哦！这片秦简上的内容好像是今天小学生们背诵的乘法口诀。

哈哈，你说对了，我就是目前咱们国家考古出土的最早、最完整的九九表。

里耶秦简九九表从"九九八十一"起到"二二而四"止，只有36句。与今天的"九九乘法表"相比，里耶秦简九九表缺少"一九而九""一八而八"等九句，但多出了"一一而二"（1+1=2），"二半而一"（$\frac{1}{2}+\frac{1}{2}=1$），"凡千一百一十三字"（81+72+63+…+4+2+1=1 113）三句。

砰！

一一而二

二半而一

凡千一百一十三字

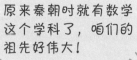

原来秦朝时就有数学这个学科了，咱们的祖先好伟大！

数学

不对，时间比这个更早呢！

事实上，周公在《周礼》中指明，数学早在西周初年就被列为贵族子弟接受教育的六门学科"六艺"——"礼、乐、射、御、书、数"之一。在历史上，数学常被称为"算术""算数""算学"等。

御 书 数

乐

礼 射

你身上表示数字的汉字和现在的汉字区别不大，我基本上都能辨识出来。古人在表示数字时只能用汉字吗？还有没有其他方式呢？

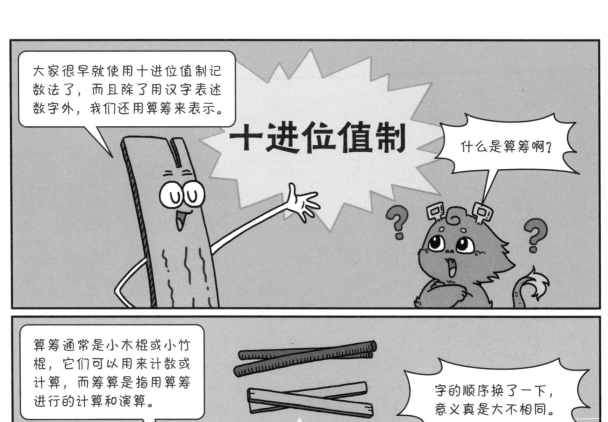

大家很早就使用十进位值制记数法了，而且除了用汉字表述数字外，我们还用算筹来表示。

十进位值制

什么是算筹啊？

算筹通常是小木棍或小竹棍，它们可以用来计数或计算，而筹算是指用算筹进行的计算和演算。

字的顺序换了一下，意义真是大不相同。

▲ 算筹

筹算 ▼

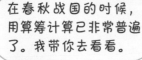

在春秋战国的时候，用算筹计算已非常普遍了。我带你去看看。

考古工作者在春秋战国和汉代古墓中发掘了大量算筹实物。

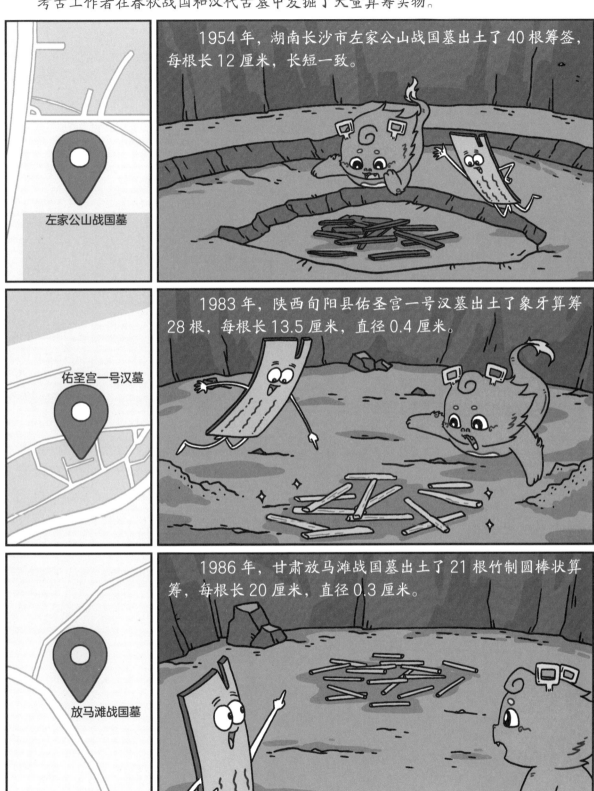

左家公山战国墓

1954年，湖南长沙市左家公山战国墓出土了40根筹签，每根长12厘米，长短一致。

佑圣宫一号汉墓

1983年，陕西旬阳县佑圣宫一号汉墓出土了象牙算筹28根，每根长13.5厘米，直径0.4厘米。

放马滩战国墓

1986年，甘肃放马滩战国墓出土了21根竹制圆棒状算筹，每根长20厘米，直径0.3厘米。

这些都是算筹在古代被大量使用的证据。

古人把算筹装在袋中随身佩戴，变成了身份和地位的象征。在汉代，佩戴算袋已经非常流行，到了唐代，算袋成了文武百官上朝时的必佩之物，随时都可以进行计算和决策。

算筹

算筹只是一些小棍子，要如何计算呢？

利用算筹进行计算称为筹算法。筹算法中用算筹摆放表示的数字被称为筹算数字，最早出现在公元400年前后成书的《孙子算经》中，这是一部供数学初学者使用的入门读物。

孙子算经

"凡算之法，先识其位，一纵十横，百立千僵，千十相望，万百相当。"
筹算数字严格遵循**十进位值制**记数法。下面是阿拉伯数字 1～9 与中国古代
筹算数字对照表：

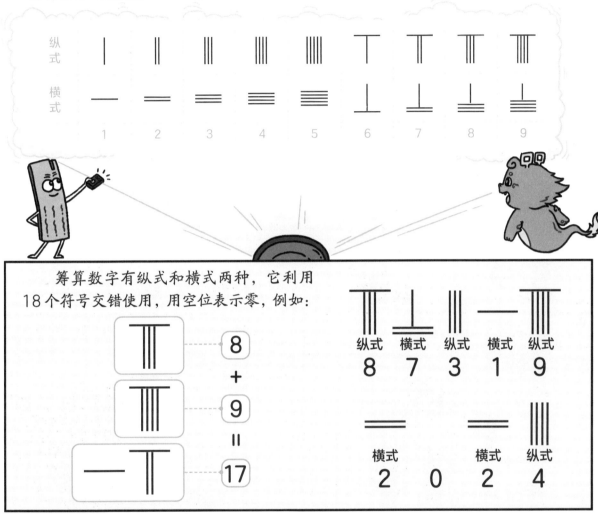

用这种纵横相间的算筹，加上用空位表示0，
可以表示任何自然数、分数和小数。

负数出现后，算筹分为
红黑两种，红筹表示正数，
黑筹表示负数。

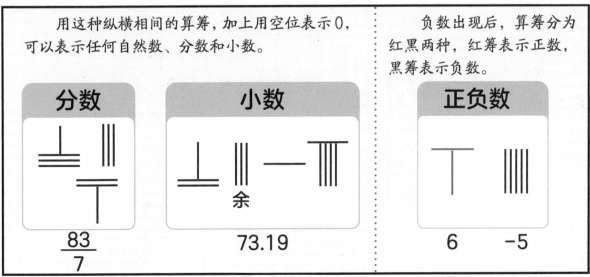

筹算除了具有数值计算的功能，还能进行算式推导。宋元时期筹算法实现飞跃，"开方术"从开平方、开立方发展到了高次开方运算，配合当时出现的"天元术"和"四元术"方法，便可以求解多元高次方程组问题。

$$x(x+y+z)=6$$

$$y(x+y+z)=12$$

$$z(x+y+z)=18$$

筹算虽然具有简单、形象等优点，但也存在布筹时占用面积大、运筹速度快时容易摆弄不正而造成错误等缺点，后来被计算更加简便的珠算所替代。

哇哦！太厉害了！我得摆弄摆弄。

你身上的这些乘法口诀在秦朝算不算是很高深的知识呢?

哈哈,当然不算。

据记载,春秋时期齐国国君齐桓公曾设立招贤馆征求四方人才,很久没有人应征。后来有人用九九口诀来应征。

齐桓公

九九口诀也算一技之长?你就凭它来见我吗?

九九口诀确实不算什么才学,但如果您也能以礼相待,还怕比我高明的人不来吗?

不久，四面贤士接踵而来。这说明九九口诀在我国春秋时期已经广泛流传。

这个乘法口诀为什么被称为"九九"呢？

今天在背诵乘法口诀时，第一句口诀是"一一得一"。

1×1=1			
1×2=2	2×2=4		
1×3=3	2×3=6	3×3=9	
1×4=4	2×4=8	3×4=12	4×4=16

而古代的口诀，顺序与今天的相反，第一句是"九九八十一"，所以古人简称其为"九九"。

九九八十一

我经常听人说"小九九"，如果有"小九九"的话，是不是也有"大九九"呢？

大九九

是这样的，中国传统的九九表分为"小九九"和"大九九"，里耶秦简中都是"小九九"。

大九九

小九九

　　"大九九"即在 1~9 的 9 个数中，每 2 个数相乘所得积的 81 句口诀。例如"小九九"包含"八九七十二"，但是没有"九八七十二"，因为乘法满足交换律，所以只需 45 句口诀便可包含"大九九"中所有的乘法。

1×1=1	2×1=2	3×1=3	4×1=4	5×1=5	6×1=6	7×1=7	8×1=8	9×1=9
1×2=2	2×2=4	3×2=6	4×2=8	5×2=10	6×2=12	7×2=14	8×2=16	9×2=18
1×3=3	2×3=6	3×3=9	4×3=12	5×3=15	6×3=18	7×3=21	8×3=24	9×3=27
1×4=4	2×4=8	3×4=12	4×4=16	5×4=20	6×4=24	7×4=28	8×4=32	9×4=36
1×5=5	2×5=10	3×5=15	4×5=20	5×5=25	6×5=30	7×5=35	8×5=40	9×5=45
1×6=6	2×6=12	3×6=18	4×6=24	5×6=30	6×6=36	7×6=42	8×6=48	9×6=54
1×7=7	2×7=14	3×7=21	4×7=28	5×7=35	6×7=42	7×7=49	8×7=56	9×7=63
1×8=8	2×8=16	3×8=24	4×8=32	5×8=40	6×8=48	7×8=56	8×8=64	9×8=72
1×9=9	2×9=18	3×9=27	4×9=36	5×9=45	6×9=54	7×9=63	8×9=72	9×9=81

2008年，清华大学入藏 2 400 余枚竹简（清华简），依同批竹简的碳 14 测定及自身文字特征，确定为战国晚期的文献。这批战国竹简中有一组简形制特殊，宽于其他简，正面画有朱色栏线，共计 21 支。将 21 支简编联成册后，形成一个数字方阵形式的算表。这显然是一张"大九九"表。

朱色栏线

清华简

清华简九九表说明我国先秦时期的数学，尤其是计算技术已经有相当高的水平。为了说明清华简九九表的数据结构，右边的结构图将其中的数字用阿拉伯数字表示。清华简不仅包含大九九表，还可以进行复杂的乘法运算。

例如，计算 $32\frac{1}{2} \times 45\frac{1}{2}$，将这两个因数分别分解为"30, 2, $\frac{1}{2}$"和"40, 5, $\frac{1}{2}$"，随后将表示这 6 个数字的 3 条横线和 3 条纵线交叉位置的 9 个数字相加即得到乘积。

$$32\frac{1}{2} \times 45\frac{1}{2}$$

就像这样计算！

$$= (30+2+\frac{1}{2}) \times (40+5+\frac{1}{2})$$

$$= 1\,200+80+20+150+10+2\frac{1}{2}+15+1+\frac{1}{4}$$

$$= 1\,478\frac{3}{4}$$

哇哦，好厉害！

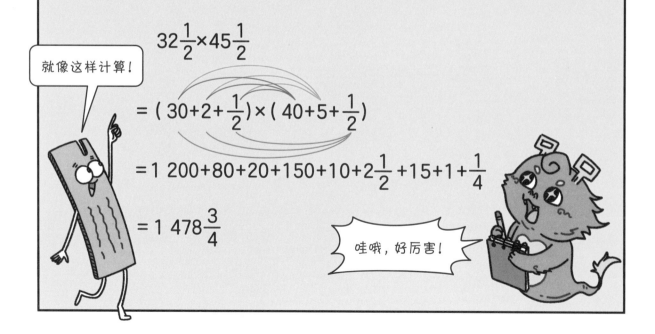

$\frac{1}{2}$	1	2	3	4	5	6	7	8	9	10	20	30	40	50	60	70	80	90	
45	90	180	270	(360)	(450)	540	630	720	810	900	1800	2700	3600	4500	5400	6300	7200	8100	90
40	80	160	240	(320)	(400)	480	560	640	720	800	1600	2400	3200	4000	4800	5600	6400	7200	80
35	70	140	210	280	350	420	490	560	630	700	1400	2100	2800	3500	4200	4900	5600	6300	70
30	60	120	180	240	300	360	420	480	540	600	1200	1800	2400	3000	3600	4200	4800	5400	60
25	50	100	150	200	250	300	350	400	450	500	1000	1500	2000	2500	3000	3500	4000	4500	50
20	40	80	120	160	200	240	280	320	360	400	800	1200	1600	2000	2400	2800	3200	3600	40
15	30	60	90	120	150	180	210	240	270	300	600	900	1200	1500	1800	2100	2400	2700	30
10	20	40	60	80	100	120	140	160	180	200	400	600	800	1000	1200	1400	1600	1800	20
5	10	20	30	40	50	60	70	80	90	100	200	300	400	500	600	700	800	900	10
$4\frac{1}{2}$	9	18	27	36	45	54	63	72	81	90	180	270	360	450	540	630	720	810	9
4	8	16	24	32	40	48	56	64	72	80	160	240	320	400	480	560	640	720	8
$3\frac{1}{2}$	7	14	21	28	35	42	49	56	63	70	140	210	280	350	420	490	560	630	7
3	6	12	18	24	30	36	42	48	54	60	120	180	240	300	360	420	480	540	6
$2\frac{1}{2}$	5	10	15	20	25	30	35	40	45	50	100	150	200	250	300	350	400	450	5
2	4	8	12	16	20	24	28	32	36	40	80	120	160	200	240	280	320	360	4
$1\frac{1}{2}$	3	6	9	12	15	18	21	24	27	30	60	90	120	150	180	210	240	270	3
1	2	4	6	8	10	12	14	16	18	20	40	60	80	100	120	140	160	180	2
$\frac{1}{2}$	1	2	3	4	5	6	7	8	9	10	20	30	40	50	60	70	80	90	1
$\frac{1}{4}$	$\frac{1}{2}$	1	$1\frac{1}{2}$	2	$2\frac{1}{2}$	3	$3\frac{1}{2}$	4	$4\frac{1}{2}$	5	10	15	20	25	30	35	40	45	$\frac{1}{2}$

　　清华简中包含的九九表及其多种计算功能，在世界范围内属首见，是一项惊人的发现，它为认识早期数学的应用与普及提供了第一手资料，在世界数学史上具有重要意义。

乘法口诀只在进行乘法运算时有用吗？

乘法口诀是中国古代筹算中进行乘法、除法、开方运算的基本计算法则，传承至今成为小学数学重要的基础知识之一，是小学算术的基本功。

动手实验　手工速算尺

哇哦，你知道吗？九九乘法口诀是为了提高个位数字乘法的运算速度。我给你介绍一把神奇的手工速算尺，它可以提高多位数字乘法的运算速度！

真的吗？太厉害了！

实验材料　材料包中的手工速算尺卡纸。

实 验 步 骤

第1步

举个例子，计算 52 749 乘以 4。我们拿出 5、2、7、4、9 这几把尺子，按照从左到右的顺序，依次排在主尺的右边。

主尺	5	2	7	4	9
1	0　5	0　2	0　7	0　4	0　9
2	0　1	0　4　5	4　5	8　9	8　9
3	5　6　7	6　7　8	1　2　3	2　3　4	7　8　9
4	0　1　2　3	8　9　0　1	8　9　0　1	6　7　8　9	6　7　8　9
5	5　6　7　8　9	0　1　2　3　4	5　6　7　8　9	0　1　2　3　4	5　6　7　8　9

第2步

在主尺上找到 4 这一行，开始计算。注意，手工速算尺是从右边的尺子开始算起的。首先，看到 9 这把尺子和主尺的 4 那一行交叉的格子里的第一个数字是 6（图中红色）。然后，沿着 6 左边三角形所指的方向，看到的是 9。沿着 9 所指的方向，看到的也是 9。

主尺		5	2	7	4	9
1	0	5	2	7	4	9
2	0	0	4	4	8	8
	1	1	5	5	9	9
3	0	5	6	1	2	7
	1	6	7	2	3	8
	2	7	8	3	4	9
4	0	0	8	8	6	6
	1	1	9	9	7	7
	2	2	0	0	8	8
	3	3	1	1	9	9
5	0	5	0	5	0	5
	1	6	1	6	1	6
	2	7	2	7	2	7
	3	8	3	8	3	8
	4	9	4	9	4	9

沿着尺子中三角形指示的走向找到对应的数字，就可以得到 52 749 × 4 的答案——210 996。

主尺		5	2	7	4	9
1	0	5	2	7	4	9
2	0	0	4	4	8	8
	1	1	5	5	9	9
3	0	5	6	1	2	7
	1	6	7	2	3	8
	2	7	8	3	4	9
4	0	0	8	8	6	6
	1	1	9	9	7	7
	2	2	0	0	8	8
	3	3	1	1	9	9
5	0	5	0	5	0	5
	1	6	1	6	1	6
	2	7	2	7	2	7
	3	8	3	8	3	8
	4	9	4	9	4	9

你能试着用手工速算尺计算一下 23 567 乘以 5 吗？

3 "小"工具测"大"高度——古人的测高挑战

哇哦！这座山登上去得很累吧！

咦，这棵树好高好好看啊。

大家好，我是这里的迎客松，我叫松松，被你们夸得都有点不好意思了。

今天就由我来带着大家一起爬山吧！

好耶！

呼……好累啊，松松，这山有多高啊？

气喘吁吁……

动动你聪明的小脑瓜想想，测山高度这个事情在古代就已经有办法啦！

哇哦！我太好奇了，这么高的山，古人又没有现代科技，他们是怎么做到的呀？

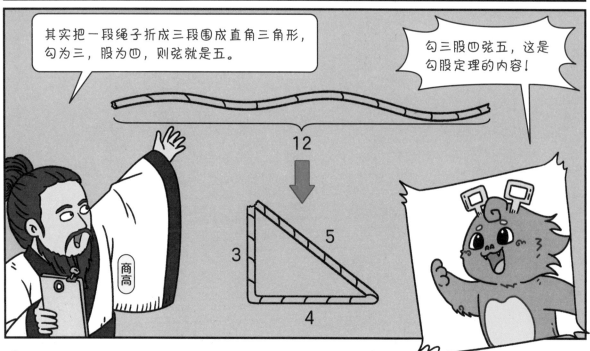

中国古代将直角三角形中较短的直角边称为勾，较长的直角边称为股，斜边称为弦，则勾股定理为：勾²＋股²＝弦²，这也是"勾股定理"名称的由来。

弦

勾

股

荣方

@

陈子

对！《周髀算经》卷上还介绍了我和陈子的对话，包含了对勾股定理一般形式的陈述。

以日下为勾，日高为股，勾股各自乘，并而开方除之，得邪至日。

哇哦，原来是这样！

？

股

勾

孟子老师？您怎么也在群里？

哈哈，我的"不以规矩，不能成方圆"也和这个有关。

孟子

哇哦，这又从何说起呢？

中国人向来讲究"规矩"，今天"规矩"这个词通常引申为一定的标准、章法和守则。你们知道"规矩"的本意是什么吗？

规矩

孟子

规

矩

回答正确！

这个我知道！"规"和"矩"是两种简单的测绘工具。"规"指圆规，"矩"指矩尺、直角尺。古时工匠用"规"画圆，制圆窗、圆门、圆桌和圆凳；用"矩"制作方形器物。

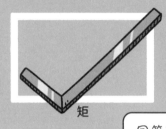

规

矩

女娲伏羲图

传说"规"和"矩"是中华人文始祖伏羲和女娲创造的。

其中测量工具"矩"是按照勾股定理制作和使用的。在测量过程中运用勾股术，说明古人已经积累了丰富的经验。

可是利用勾股定理，也没法直接操作测出山的高度呀？

这提供了一种解题思想——利用数学模型。具体测算山高的方法，首次出现在刘徽所著的《海岛算经》中。

刘徽我认识的！

嗨！哇哦！好久不见呀～

我们又见面啦！

刘徽

割圆术

勾股定理

您提出了割圆术，证明了勾股定理，还给出了测算山高的方法，您数学方面的成果真多！

还好啦～我主要是在《九章算术注》的最后编写了《重差》章，作为注本的第十章。在这一章中，我就解决了测算山高的问题。

九章算术注

好厉害，可是松松前面说您的《海岛算经》给出了测算山高的方法，怎么又说《重差》章给出了这种方法，快把我弄糊涂了！

别急嘛！

海岛算经

海岛算经

《海岛算经》本是刘徽《九章算术注》的第十章《重差》，唐初时以《海岛算经》为名独立成书。

隋唐时期，国子监设立"算学馆"，相当于今天最高学府中的数学系。

为了满足算学馆教学需要，唐朝政府让李淳风等人进行十部算经的编撰、注释工作，这十部算经统称《算经十书》，包括前面提到的《周髀算经》《九章算术》《海岛算经》等。

《算经十书》可是咱们历史上第一部国家钦定的数学教材。它包括从汉初到唐末一千多年间的数学名著，有着丰富的内容。

既然是测算，首先需要测量出一些数据吧。测量就一定需要工具，是不是需要山那么高的尺子呀？

不需要。《海岛算经》中有九道题，都是利用两次或多次测望所得的数据，然后计算出远处可望而不可及物体的高度、深度、广度和远度的。

就用第一题来说吧。测算远处海岛上山峰的高度，首先需要将两根高3丈的表（标杆）一前一后垂直于地面放置，使所测山峰和两根标杆在一条直线上，水平相距1000步就可以啦！

1 丈 = 10 尺

3 尺 = 1 米

1 丈 ≈ 3.33 米

表间距
1 000 步

表高
3 丈

这么简单的工具能测算出山高吗？

当然可以啦！现在知道了"表高"和"表间距"，但这两个数据还不够，我们还需要测出两个重要数据——"前表却行"和"后表却行"。

 前表却行

 后表却行

"前表却行"指从前表出发，沿着与山相反的方向后退，直到某一位置，从地面看前表末端和山峰二者平齐，记录下此时退行的步数即"前表却行"。也可以理解成在山峰顶部有个光源，射出光线使前表在地面得到的影长。"后表却行"和这个类似。

这个好理解，接下来就可以计算了吧。

前表却行

后表却行

把前面的数据直接代入公式：

$$岛峰高 = \frac{表高 \times 表间距}{后表却行 - 前表却行} + 表高$$

$$前表到山水平距离 = \frac{前表却行 \times 表间距}{后表却行 - 前表却行}$$

刘徽

在两个公式中，都含有用"表间距"除以"后表却行 - 前表却行"，相当于"重复"地使用两个"差"进行计算，所以该方法被称为"重差"。

好厉害呀！这么辛苦的工作才得到的数据，可得保存好呀！

你放心好啦！我的"重差"理论在以后各个朝代的数学、测量、地图绘制等多个领域都有应用。

晋武帝时的宰相裴秀明确地提出六条制作地图原则，即"制图六体"：分率、准望、道里、高下、方邪、迂直。其中"高下"指的就是相对高程，数据的获取就需要上面的知识了。"制图六体"是当时世界上最科学、最完善的制图理论。除经纬线和地球投影外，现代地图学上应考虑的主要因素，他几乎全提了出来。

分率　准望　道里　高下　方邪　迂直

裴秀

我们的数学家们真是太厉害了！

哇哦，我教你做个测高仪吧，这样你就能测量一些像树木或是建筑物这样比较高的物体了！

太好了，我也能和古代的大数学家们一样啦！

实验材料 | 正方形硬纸板、胶带、吸管、类似螺帽的小重物、绳子、针。

实 验 步 骤

第1步

将正方形硬纸板沿对角线对折后用胶带固定，将吸管固定于折叠后硬纸板的最长边处，确保吸管不被折弯。

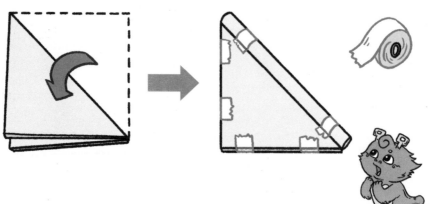

第2步

在靠近吸管一端的位置用针穿两个小洞，将绳子的一端从小洞穿过去，在绳子的另一端系上一个小的重物并打一个结固定，测高仪就做好啦！

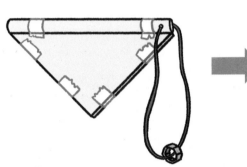
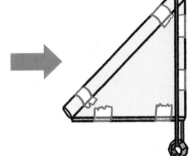

哇哦，快从吸管的一端观察远处的物体吧，需要保持视线始终能看见高物的顶端，快来试试！

原 理 揭 秘

根据上述方法制作的硬纸板三角形恰好是等腰直角三角形——它的两个底角均为45°。当拴着重物的线恰好与直板的直角边贴合时，此时吸管应与水平面呈45°，所以所测物体的距离加上测量者的身高应该等于所测物体的高度。

数学时装周

哇哦,他的发型好特别!

是啊是啊,看起来真的好酷!

哇哦,他的披风也好看!

这些数字好有意思，它们摆成了一个等腰三角形的形状。其中第一行只有数字"1"，第二行是数字"1、1"，第三行是数字"1、2、1"，第四行是……它们的排列好像有什么规律，但我又说不清楚。

```
            1
          1   1
        1   2   1
      1   3   3   1
    1   4   6   4   1
  1   5  10  10   5   1
1   6  15  20  15   6   1
1  7  21  35  35  21  7  1
      ……
```

你仔细看看，每一个数字是不是都可以看成是它肩上两个数字之和？

哇哦，真的是！这就是贾宪三角吗？

对呀，11世纪初数学家贾宪最早给出了算术三角形，可惜贾宪的著作早已遗失，相关内容被杨辉的《详解九章算法》引用，所以在我国算术三角形也被称为"贾宪三角"或"杨辉三角"。在今天的数学中它叫"算术三角形"。

我记得宋元数学四大家，指的是宋元时期成就最大的四位数学家——杨辉、秦九韶、李冶和朱世杰，里面没有贾宪。这是怎么回事呀？

秦九韶

李冶

杨辉

朱世杰

贾宪的生平、籍贯等大家都不太清楚，只知道他生活在北宋 11 世纪上半叶，曾做过低级别武官。

　　虽然贾宪职位不高，但他在数学方面颇有造诣。我们通常说的宋元数学四大家中并没有贾宪，主要是贾宪的数学著作保留下来的不多。但是传统数学在宋元时期达到巅峰，这一巅峰时期的开创便源于贾宪三角。

哇哦！贾宪三角的意义这么重要啊！贾宪是怎么给出这个三角形的呢？

《九章算术·少广》『开平方术』术文

　　这还要追溯到《九章算术》，其中的《少广》章提出了完整的开平方、开立方算法程序，但比较烦琐。贾宪将上述算法改进为增乘开平方法和增乘开立方法，这样就构造出了贾宪三角。

阿酷，增乘是指什么呀？

左衰乃积数，右衰乃隔算，中藏者皆廉，以廉乘商方，命实而除之。

天呐，我好像在听天书……

别急，我这就给你解释。前三句说明了贾宪三角的结构，后两句讲的是各系数在开方计算中的作用。左右斜线上的数字 1 分别是"积数"和"隔算"，藏在两行斜线数字中的就是"廉"啦！它们都是古代开方术语。

			1				
积数	1		1 隔算				廉
平方积	1	(2)	1 平方隅				
立方积	1	3	3	1 立方隅			
三乘积	1	4	6	4	1 三乘隅		
四乘积	1	5	10	10	5	1 四乘隅	
五乘积	1	6	15	20	15	6	1 五乘隅

原来是这样啊，那要怎么用它们去做增乘呀？

将隔算 1 自下而上加进前一位，直到首位为止，就得到第一位数字；求其他各位数字，也是自下而上重复刚才的过程，每次低一位为止。可以理解成"一边加一边乘"，所以叫"增乘法"。

增乘法

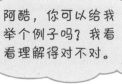

阿酷，你可以给我举个例子吗？我看看理解得对不对。

好呢，可以看看我的头。

左侧第一列是数字1。将最下行的1加到倒数第二行数字1上得到2，将2加到倒数第三行上得到3，逐行进行同样的操作得到第二列数字6、5、4、3、2、1；重复操作，但要进行到第二行为止，得到第三列数字15、10、6、3、1；之后继续加，最后得到数表斜行数字6、15、20、15、6。

```
1   6 (=1+5)      6              6          6          6

1   5 (=1+4)      15 (=10+5)止 15          15         15

1   4 (=1+3)      10 (=6+4)      20 (=10+10)止 20      20

1   3 (=1+2)      6 (=3+3)       10 (=4+6)     15 (=5+10)止 15

1   2 (=1+1)      3=(1+2)        4 (=1+3)      5 (=1+4)      6 (=1+5)止

1   1             1              1             1             1
```

这就是六次方各廉，"廉"表示系数。用这种方法可写出任意层数的贾宪三角。

事实上，上述算法的价值并不仅仅在于求出贾宪三角，更重要的是将该方法推广到开方术中，最终可以求解任意一元高次方程。聪明如你，明白了吗？

嘿嘿，当然。贾宪三角真的太厉害了！这就是你说贾宪三角开创了宋元数学先河的原因吧！

贾宪三角源于更加古老的开平方和开立方算法，其相关算法经过进一步的发展使得高次开方和一般高次方程数值解成为可能。宋元数学四大家都掌握了这种算法，且宋元时期具有代表性的数学成就，例如秦九韶的正负开方术、李冶的天元术、朱世杰的四元术都是以贾宪三角为基础的。

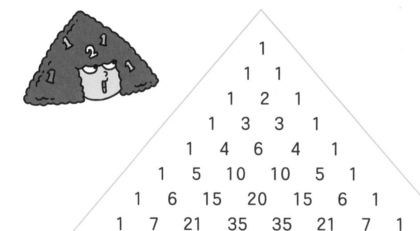

```
                    1
                  1   1
                1   2   1
              1   3   3   1
            1   4   6   4   1
          1   5   10  10  5   1
        1   6   15  20  15  6   1
      1   7   21  35  35  21  7   1
                  ……
```

正负开方术

秦九韶

天元术

李冶

四元术

朱世杰

好棒，贾宪三角在中国数学史上的地位实在是太重要了！

是呀，它不仅用于开高次方，而且成为解决高阶等差数列求和问题的有力工具。

等等，中国古人就开始研究数列啦？

当然啦，古人关于数列研究的历史非常久远。我国古代数学文献《数》《算数书》《九章算术》《周髀算经》中都有大量等差数列问题。《九章算术》中给出了等差数列前 n 项和公式以及等差数列求第 n 项公式。但是高阶等差数列仍然是个难题。

那什么是高阶等差数列呢？

宋元时期手工业发达，生产了大量的坛子、罐子等，堆垛成多种立体图形。下面是一张罐子堆积图，其中 $a=5$，$b=4$，$c=8$，$d=7$，$n=4$，所有罐子的数量和相当于求四个数字 20、30、42、56 的和，相邻两个数字之间的差分别为 10、12、14，继续求相邻两个数之间的差均为 2，也就是说 20、30、42、56 这 4 个数字相邻两数字之间的差以 2 的速度递增，这就是一个二阶等差数列。

隙积图（罐子堆积图）

高阶等差数列一看就很复杂，贾宪三角还能解决数列问题，真是太神奇了！

数学家的视角非常敏锐。例如，朱世杰在他的著作《四元玉鉴》中就以贾宪三角为基础，对垛积术进行了全面讨论，解决了大量的更高阶的等差数列求和问题。

垛积术

贾宪三角既可以解方程，又可以求数列，真是个数学宝藏啊！

是呀，这里面有很多值得进一步研究的内容，所以后来明代吴敬、王文素等数学家的著作中也写了与贾宪三角相似的内容。

吴敬

王文素

阿酷,是不是可以认为——宋元数学的大部分成就都是在贾宪工作的基础上发展起来的?

贾宪

是的!作为宋元数学的奠基者,贾宪对中国传统数学的贡献丝毫不逊于被誉为"宋元数学四大家"的杨辉、秦九韶、李冶和朱世杰。

我已经不知道如何表达我的敬佩了,阿酷,我要回去好好研究一下贾宪三角了!

加油加油!

动手实验 几何世界

哇哦，咱们领略了贾宪三角的魅力。实际上，三角形不仅存在于数字世界，还存在于几何世界。当然，几何世界还有四边形、五边形……下面，我们就利用这些简单的平面图形来制作几个漂亮的立体图形吧！

好酷啊，我也想快点动手把它们做出来！

实验材料 | **材料包**中的正四面体、正六面体、正八面体、正十二面体、正二十面体展开图卡纸、胶水。

将材料包中的五种多面体展开图取下，通过折叠、粘贴，将它们还原成相应的立体图形！

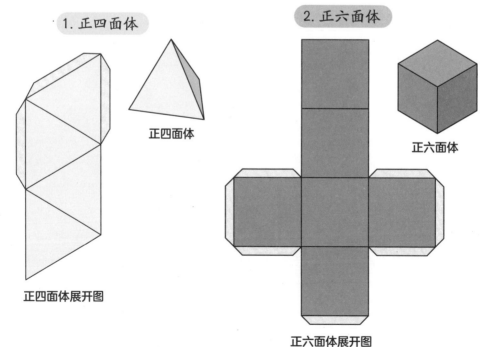

1. 正四面体

正四面体

正四面体展开图

2. 正六面体

正六面体

正六面体展开图

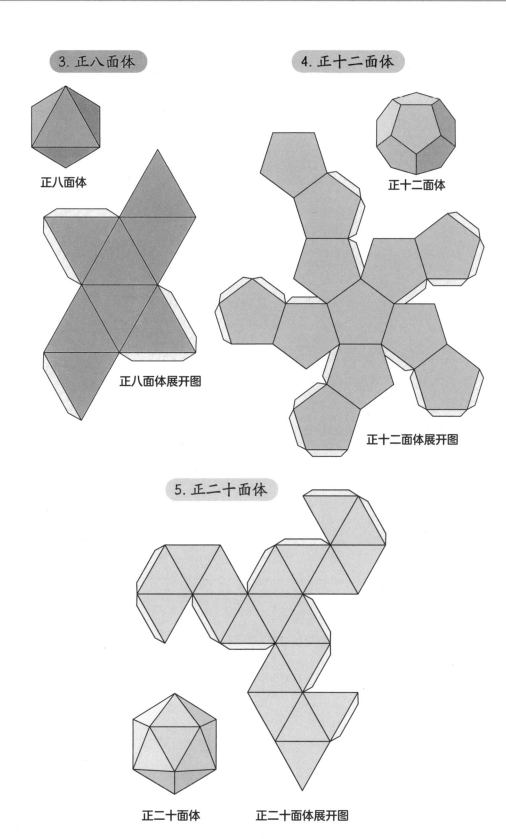

3. 正八面体

正八面体

正八面体展开图

4. 正十二面体

正十二面体

正十二面体展开图

5. 正二十面体

正二十面体　　　　正二十面体展开图

哈哈哈,我们进入下一题。请听题:《孙子算经》《孙子兵法》这两本书的作者是同一个人吗?

这题我会!这是两个人。

啪!

《孙子兵法》的作者是春秋末年的军事家孙武;《孙子算经》成书于公元400年前后的南北朝时期,作者不详,是一部供数学初学者学习的启蒙读物,流传十分广泛。

孙子兵法

孙武

孙子算经

《孙子算经》中的"物不知数"问题就是一道经典例题。如果大家不知道"物不知数"问题,那么书中还有一道广为流传的经典数学问题——"鸡兔同笼"。

"鸡兔同笼"当然听说过啦,那什么是"物不知数"问题呢?

鸡兔同笼,有20个头,54条腿,问鸡、兔各有多少只?

🐔=?

🐰=?

实际上，"韩信点兵"问题首次出现在《孙子算经》卷下26题中，原文是这样的：

让我来试试，除以 3 余数为 2 的数字有：2、5、8、11、14、17、20、23、26…除以 5 余数是 3 的数字有：3、8、13、18、23、28…除以 7 余数是 2 的数字有：2、9、16、23、30…需要三个条件都满足。

所以这个问题的答案是 23。

这个问题还有无穷多个其他的解。明代数学家程大位把《孙子算经》中的解法总结成一段口诀：

三人同行七十（70）稀，五树梅花二十一（21）。七子团圆正半月（15），除百零五（105）便得知。

程大位

有人知道这是什么意思吗？

三人同行七十（70）稀，五树梅花二十一（21）。七子团圆正半月（15），除百零五（105）便得知。

给定一个数,这个数分别除以3、5和7,得到的余数分别乘以70、21和15。把这些乘积相加,最终的结果与初始给定的数一定相差105的倍数。

定数 ÷ 3 = △ ……余数 a
定数 ÷ 5 = ○ ……余数 b
定数 ÷ 7 = □ ……余数 c

$a \times 70 = A$
$b \times 21 = B$
$c \times 15 = C$

$A + B + C = 结果$
$结果 ÷ 定数 = 105$

说得真好,"物不知数"问题开创了同余数研究的先河,但是它没有写明算法中出现的70、21和15是如何获得的,所以《孙子算经》并没给出求解此类问题的通用方法。

仔细想想,上面的同余方程组条件比较简单,只要条件稍微复杂一点,计算量就变得很大。

是的,南宋数学家秦九韶在《数书九章》中第一次完整、明确、系统地阐述了一次同余方程组求解的算法程序——大衍总数术,也就是今天的一次同余方程组的解法。

大衍总数术

数书九章

秦九韶

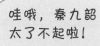

哇哦,秦九韶太了不起啦!

是呀,秦九韶博学多才,他与李冶、杨辉、朱世杰并称"宋元数学四大家"。

宋元数学四大家

杨辉

朱世杰

李冶

秦九韶

秦九韶的代表作《数书九章》可与东汉时期的《九章算术》相媲美,两者分别代表了我国古代数学的两个顶峰。

欧洲人直到13世纪才开始研究此类问题，最终数学大师高斯在1801年著的《算术研究》中首次明确写出了与秦九韶相同的方法。

秦九韶的"大衍总数术"于1853年传入欧洲。

中国

欧洲

1876年，德国数学家马蒂生指出秦九韶和高斯的解法等价，后来德国数学史家康托高度评价了秦九韶的工作，并将这一方法称为"中国剩余定理"。

中国剩余定理

哇哦，你相信吗？我能猜中你心中的想法！

我可不信，怎么猜？

我这里有 5 张数字卡片，你在 1~30 范围内任选一个数，默默记在心里，不要告诉我。然后，你把 5 张卡片上有这个数字的卡片给我。

16	17	18
19	20	21
22	23	24
25	26	27
28	29	30

8	9	10
11	12	13
14	15	24
25	26	27
28	29	30

4	5	6
7	12	13
14	15	20
21	22	23
28	29	30

2	3	6
7	10	11
14	15	18
19	22	23
26	27	30

1	3	5
7	9	11
13	15	17
19	21	23
25	27	29

实验材料 | **材料包**中的数字颜色卡。

实 验 步 骤

我想好这个数字了，这两张卡片里有这个数字，给你！

8	9	10
11	12	13
14	15	24
25	26	27
28	29	30

2	3	6
7	10	11
14	15	18
19	22	23
26	27	30

这个数字是 10，对不对？

哇哦，猜对了，你可太厉害了！

同学们，你能想个数字试试吗？

在 1~30 这些数中，任何一个整数都可以由 1、2、4、8、16（5 张卡片左上角的数）中的数相加得到，并且计算方法唯一。将印有选择数的卡片挑出来，并将左上角的数相加即可得到答案。

得到 1~30 这些数字对应的 2 进制数码如下：

10进制	2进制	2进制左1位橙卡	2进制左2位蓝卡	2进制左3位粉卡	2进制左4位绿卡	2进制左5位天蓝卡
1	00001	0	0	0	0	1
2	00010	0	0	0	1	0
3	00011	0	0	0	1	1
4	00100	0	0	1	0	0
5	00101	0	0	1	0	1
6	00110	0	0	1	1	0
7	00111	0	0	1	1	1
8	01000	0	1	0	0	0
9	01001	0	1	0	0	1
10	01010	0	1	0	1	0
11	01011	0	1	0	1	1
12	01100	0	1	1	0	0
13	01101	0	1	1	0	1
14	01110	0	1	1	1	0
15	01111	0	1	1	1	1
16	10000	1	0	0	0	0
17	10001	1	0	0	0	1
18	10010	1	0	0	1	0
19	10011	1	0	0	1	1
20	10100	1	0	1	0	0
21	10101	1	0	1	0	1
22	10110	1	0	1	1	0
23	10111	1	0	1	1	1
24	11000	1	1	0	0	0
25	11001	1	1	0	0	1
26	11010	1	1	0	1	0
27	11011	1	1	0	1	1
28	11100	1	1	1	0	0
29	11101	1	1	1	0	1
30	11110	1	1	1	1	0

1~30 这 30 个数字的二进制对应数字是唯一的，5 张卡片上每一张对应的是不同数字 2 进制数码不同数位（共五个数位）上的 1 或 0。

图书在版编目（CIP）数据

数学与测量 ／ 郭园园，牛猫小分队著、绘. -- 大连：
大连理工大学出版社，2024. 10. --（哇哦！中国古代科
技了不起／白欣主编）. -- ISBN 978-7-5685-5172-4

Ⅰ. O112-49

中国国家版本馆 CIP 数据核字第 2024Y76Y73 号

数学与测量　SHUXUE YU CELIANG

出 版 人	苏克治	策划编辑	苏克治　遆东敏	
责任编辑	陈 玫　李玉霞	责任校对	邵 青　董歅菲	
责任印刷	王 辉	封面设计	丫丫书装　张亚群	
美术指导	苏岚岚	漫画主创	赏 鉴　吕箐莹　周 励　虞天成	
版式设计	牛猫小分队	漫画助理	冯逸芸　陈天宇	
设计执行	郭童羽			

出版发行　大连理工大学出版社

地　　址　大连市软件园路 80 号　　　　邮政编码　116023

邮　　箱　dutp@dutp.cn　　　　　　　电　话　0411-84708842（发行）

网　　址　http://dutp.dlut.edu.cn　　　　　　　　0411-84708943（邮购）

印　　刷　大连天骄彩色印刷有限公司

幅面尺寸　185mm×260mm　　　　印　张　5　　字　数　132 千字

版　　次　2024 年 10 月第 1 版　　　印　次　2024 年 10 月第 1 次印刷

书　　号　ISBN 978-7-5685-5172-4　　定　价　66.00 元

本书如有印装质量问题，请与我社发行部联系更换。